심호흡의 필요

深呼吸の必要　長田 弘
SHINKOKYUU NO HITSUYOU
Written by OSADA Hiroshi

Original Japanese edition published by SHOBUNSHA Co., Ltd. Tokyo, Japan
Korean edition is published by arrangement with SHOBUNSHA Co., Ltd. through AMO Agency.

심호흡의 필요

오사다 히로시 글
박성민 옮김

시와서

제1부 그때일지도 몰라

제2부 큰 나무

제1부

그때일지도 몰라

하나

너는 언제 어른이 되었을까. 너는 지금 어른이고, 아이가 아니다. 아이가 아니지만, 너도 처음엔 한 명의 아이였다.

아이였을 때의 일을, 너는 잘 기억하고 있다. 물웅덩이. 강물 빛. 아지랑이 길. 줄넘기. 나이 든 벚나무. 학교의 흰 분필. 처음 탔던 자전거. 첫 바다. 너는 다 기억하고 있다. 하지만 그 시절 땀방울을 흩날리며 달리던 아이였던 네가, 도대체 언제 어른이 되었는지, 너는 아무리 해도 생각이 나지 않는다.

너는 어느 날 갑자기 어른이 된 게 아니었다. 문득 정신이 들어 보니, 이미 어른이 되어 있었다. '되었다'가 아니라 '되어 있었다'. 이상하네. 거기엔 틀림없이 경계선이 있었을 텐데, 아이에서 어른이 되는 그 경계선을 네가 언제 뛰어넘었는지, 너는 전혀 기억이 나지 않는다.

분명 너는, 정신이 들어 보니 이미 어른이 되어 있었다. 그 말은, 정신이 들어 보니 이미 아이가 아니었다는 말이다. 그러면 대체 언제 너는 아이가 아니게 된 걸까. 나도 모르는 사이에 아이가 아니게 되어, 나도 모르는 사이에 어른이 되어 있었던 거야. 그런가? 자기 자신에 관한 일인데, 왜 더 뚜렷하게 그 '언제'가 떠오르지 않는 걸까. 너는 정말 언제 어른이 된 걸까. 언제 아이가 아니게 되었을까. 그 '언제'가 언제였을까.

네가 언제 아이가 되었는지는, 너는 잘 알고 있다. 그건, 네가 걸을 수 있게 되고, 말할 수 있게 되었을 때다. 두 발로 똑바로 서서 또박또박 말할 수 있게 되었을 때, 너는 아기에서 한 명의 아이가 되었다. 뿐만 아니라, 네가 언제 아기가 되었는지도, 너는 그 날짜까지 정확히 알고 있다. 바로 네가 태어난 날, 너의 생일이다. 너는 너의 생일날, 지각하지 않고 무사히 태어났다. 그리고 한 명의 아기가 되었다.

그런데 언제 너는 아이에서 어른이 된 걸까. 그때일까? 그래 그때야, 틀림없이 그때야. 하지만 너는 바로 부정한다. 아니야, 다른 때야. 아니, 그때도 아냐. 또 다른 때일 거야. 그래, 그때가 틀림없어. 그런데 잠깐만, 아이는 딱 한

번밖에 어른이 될 수 없다. 그렇다면 이상하다. 네가 어른이 된 '그때'가 그렇게 몇 번이나 있을 수는 없다.

그럼 어느 '그때'가 너의 진짜 '그때'일까. 아이와 어른은 전혀 다르다. 아이 그대로인 어른 같은 건 있을 수 없고, 어른이기도 한 아이 같은 것도 있을 리 없다. 경계선은 역시 있는 것이다. 그런데 도대체 어디에 있었던 걸까. 정말이지 언제였을까. 아이였던 네가, "난 이제 아이가 아냐. 이젠 어른이야" 하고 분명히 알았던 ‘그때’가.

둘

네가 태어났을 때, 너는 스스로 결정해서 태어난 게 아니었다. 네가 태어났을 때는 이미, 너의 이름도, 너의 마을도, 너의 나라도 정해져 있었다. 네가 여자아이가 아니라, 남자아이라는 것도 정해져 있었다.

하루는 스물네 시간이고, 아침, 점심, 저녁으로 되어 있다. 일요일은 일주일에 한 번이다. 열두 달이면 일 년이다. 그런 것들도 다 정해져 있었다. 너는 오늘 잠을 잤다. 그런데 눈을 떠보니, 오늘은 어제이고, 내일이 오늘이다. 그것도 정해져 있었다. 네가 오늘 밤 잠을 자고, 그저께 아침에 일어나는 일은 결코 없었다.

네가 태어나기도 전에, 그런 건 다 정해져 있었던 것이다. 네가 스스로 정할 수 있는 건 아무것도 남아 있지 않은 것 같았다. 아기인 너는 잠자거나 우는 것밖에 할 수 없었다. 손도 발도 내밀지 못했다. 손도 발도 포옥, 배내옷에 싸여 있었다.

멀리서 이 세상에 찾아왔는데도, 너는 이 세상에서 할 수 있는 것이 하나도 없었다. 그저 자라는 것밖에는 할 수 없었다. 그것조차도 처음부터 정해져 있었던 것이다. 아기인 너는 아무것도 할 수 없는 자신이 서러웠다. 자그마한 두 손은 언제나 주먹을 꼭 쥐고 있었다.

그런데, 네가 한 명의 아기에서 한 명의 아이가 되고, 일어나서 스스로 걷기 시작했을 때, 그런 너를 몰래 숨어서 기다리고 있던 건, 네가 전혀 생각지도 못한 것이었다. 너 스스로 결정하지 않으면 달리 어떻게 할 수 없는 것이었다. 너는 당황하고, 허둥대고, 갈팡질팡했다.

전부 다 정해진 게 아니었나? 하지만, 그렇게 믿은 네가 잘못이었다.

네가 태어나서 처음으로 부딪힌 난제. 네가 한 명의 남자아이로서 처음으로 스스로 결정해야 했던 것. 그것은 바로 너 혼자서 똑바로 쉬하러 가는 것이었다. 쉬하고 싶은지 아닌지, 다른 누군가가 그걸 결정해 줄 수는 없다. 참든지 말든지, 다른 사람이 대신 참아 줄 수는 없다. 너밖에는 할 수 없다. 그래서 너는 결심한다. 혼자서 똑바로 쉬해야지.

결국, 네 일은 네가 결정해야만 하는 것이었다. 너 말고는, 너와 같은 사람은 어디에도 없다. 너는 무엇을 좋아하고, 무엇을 싫어할까. 너는 무엇을 하지 않고, 무엇을 할까. 어떤 사람이 돼 가는 걸까. 너에 대한 그런 모든 것이 다 정해져 있는 것처럼 보였는데, 사실은 아무것도 정해져 있지 않았던 것이다.

그래서 너는 너에 대한 모든 걸 스스로 결정하지 않으면 안 되게 되었다. 결국, 어느 누구도 대신해 줄 수 없는 한 사람의 자기 자신이,

너는 되어 갔다. 너는 다른 누구도 되지 않았다. 좋든 싫든, 너라는 한 사람밖에 될 수 없었다. 그걸 알았을 때, 바로 그때였다. 그때 너는 이제, 한 명의 아이가 아니라, 한 명의 어른이 되어 있었던 것이다.

셋

큰길. 뒷길. 샛길. 골목길. 옆길. 오솔길. 막다른 길. 곁길. 굽잇길. 둘레길. 어떤 길이든 알고 있었다.

하지만 넓은 길은 싫다. 넓은 길은 서두르는 길이다. 자동차가 서두른다. 어른들이 서두른다. 넓은 길은 사실, 넓은 길이 아니다. 넓은 길일수록, 아이인 너는 주눅이 든다. 몸을 움츠리고 길 가장자리를 지나가야 하기 때문이다. 넓은 길은, 아이인 너에게는, 언제나 좁은 길이었다.

네가 좋아하는 길은 좁은 길이다. 좁으면 좁을수록, 길은 자유로운 길이었다. 도랑이 있으면, 너는 일부러 도랑 가를 걸었다. 둑을 비스듬히 미끄러져 내려가는 길. 그것도 위에서 내려가기만 하면 재미없다. 그래서 거꾸로 올라간다. 뛰어 올라가는 거라면 누구나 할 수 있으니까, 너는 가능한 한 천천히 올라간다. 미끄러져 떨어진다.

흰 돌담 위도 길이었다. 조심하기만 하면, 자동차도 개도 지나가지 못하는, 너와 고양이

만의 안전한 길이었다. 몸의 균형을 잘 잡고, 평균대 위를 걸을 때처럼, 너는 걷는다. 그런데 갑자기, 뒤에서 고함이 들린다. "어딜 걷고 있는 거야? 위험해." 그 소리에 깜짝 놀라, 엉겁결에 균형을 잃고, 너는 떨어진다. 너는 불만이다. '위험해'라니, 갑자기, 그것도 뒤에서 고함을 치다니, 위험하잖아. 하지만, 두 번 다시 돌담 위의 길은 걷지 않았다.

별것 아닌 길이면, 돌멩이를 멋지게 차면서 걸었다. 돌을 도랑에 빠뜨리지 않고, 학교에서 집까지, 누구의 방해도 받지 않고 끝까지 차면서 돌아온 것이, 너의 최고 기록이다. 아무 돌이나 다 괜찮은 건 아니다. 야구 선수가 배트 가방에서 배트를 고를 때와 같은 눈으로, 너는 돌멩이를 찬찬히 고른다. 둥글넓적한 돌이 좋다. 길 위를 쓰윽, 가볍게 미끄러지는 돌이 좋다. 맘에 든 돌멩이가 발길질이 서툴러 도랑에 빠지면, 너는 속이 상했다.

아이인 너는 그냥 길을 똑바로 걷는 일은 없었다. 오른발을 앞으로 내민다. 그다음, 왼발을 앞으로 내민다. 걷는다는 건, 단지 그것의 반복만은 아니야. 무엇보다, 만약 그렇다면, 재미고 뭐고 아무것도 없지. 너는 그렇게 생각했다. 이번엔 이 길을 이렇게 걸어 봐야지. 어떤 게임보다, 어떤 공부보다, 그런 생각을 하는 게 너는 훨씬 재미있었다.

지금 거리를 걷고 있는 어른인 너는 어떨까. 걷는 것이 지금도 즐거울까. 거리의 쇼윈도에, 가능한 한 적게 걸으려고, 급한 발걸음으로, 고개를 숙이고 인파 속을 걸어가는, 한 남자의 모습이 비친다. 그 남자가, 어린 시절 그토록 걷기를 좋아했던 너라니, 너조차도 믿기지가 않는다.

걷기의 즐거움을 너 스스로 잃어버렸을 때, 바로 그때였다. 그때, 너는 이제 한 명의 아이가 아니라 한 명의 어른이 되어 있었던 것이다. 걷는다는 것이 너에게, 이곳에서 저곳으로 간다는, 단지 그뿐인 것에 지나지 않게 되어 버렸을 때.

넷

"멀리 가면 안 돼." 아이인 너는 놀러 갈 때면 언제나 그런 말을 들었다. 늘 똑같은 말이었다. 누구나 너에게 그런 말을 했다. 그런 말을 하지 않은 사람은, 너뿐이었다.

'멀리'라는 말은 너에게는, 마법이 걸린 말 같았다. 너에게는 가서는 안 되는 곳이 있고, '멀리'라고 불리는 곳이 바로 그곳이었다. 거기 가면 안 돼. 그런 말을 들으면 들을수록, 너는 '멀리'라는 곳에 한번 가 보고 싶어 견딜 수가 없었다.

‘멀리’라는 곳이 도대체 어디에 있는 건지, 너는 몰랐다. 너의 동네 어딘가에, 있는 것일까? 너는 너의 동네라면 어디든, 네 손바닥처럼 훤히 알고 있었다. 하지만, 너의 지식을 아무리 다 모아 봐도, 그 어떤 ‘멀리’도 너의 동네에는 없었다. 너의 동네에는 숨겨진, 비밀의 ‘멀리’라는 곳은 없었다. ‘멀리’란 너의 동네 밖에 있는 곳이었던 것이다.

어느 날, 동네 밖으로, 너는 드디어 혼자 나갔다. 동네 밖으로 가는 건 어려운 일이 아니었다. 동네 변두리에 있는 다리를 건넌다. 그다음은 척척 걸어가면 된다. 너는 빠른 걸음으로 걸어갔다. 호주머니에 주먹을 찔러 넣고. 서둘러 가면 그만큼 빨리 '멀리'에 도착한다. 그러면 '멀리'에 갔다는 걸 아무한테도 들키지 않고 돌아올 수 있을 것이다.

그런데 아무리 서둘러도, 아무리 걸어도, 어디가 '멀리'인지, 도무지 알 수가 없었다. 너는 지치고, 울고 싶어져, 멈춰 섰다가, 끝내는 쪼그려 앉고 만다. 동네에서 한참을 벗어나 버렸다. 그곳이 어딘지도 몰랐다. 돌아가야만 했다.

왔던 길과 똑같은 길로 되돌아가기만 하면 되는 거였다. 하지만 너는 길을 잘못 든다. 몇 번이나 잘못 드는 바람에, 너는 으앙 하고 울음을 터뜨리며, 이리저리 헤맸다. 길을 잃었구나. 누군가가 말했다. 미아구나. 다른 누군가가 말했다. 미아란, 너를 말하는 것이었다. 너는 모르는 사람과 함께 집으로 돌아왔다. 야단을 맞았다. "멀리 가면 안 돼."

아이였던 자신을 떠올릴 때마다 네가 제일

먼저 떠올리는 건, 그 말이다. 아이인 너는 '멀리'에 가는 걸 꿈꾸던 아이였다. 하지만 그때의 너는 아직, '멀리'라는 곳이, 거기까지 가면 되돌아올 수 없는 곳이라는 걸 몰랐다.

'멀리'라는 곳은, 갈 수는 있어도 가면 되돌아올 수는 없는 곳이다. 어른인 너는, 그걸 잘 알고 있다. 어른인 너는, 이제 아이인 너에게로 두 번 다시 돌아갈 수 없을 만큼, 멀리까지 와 버렸기 때문이다.

아이인 너는, 어느 날 문득, 이젠 누구한테

서도 “멀리 가면 안 돼”라는 말을 듣지 않게 된 걸 깨달았다. 바로 그때였다. 그때 너는 이제, 한 명의 아이가 아니라, 한 명의 어른이 되어 있었던 것이다.

다섯

아이인 너는 작았다. 어른이 된 너보다 훨씬 작았다.

어른의 허리 정도밖에 되지 않았다. 그래서 너는 빨리 크고 싶었다. 정말로 커지면, 뭐든지 다 잘 될 것만 같은 기분이 들었다. 일일이 의자 위에 올라가지 않으면 아무것도 못 한다니, 너무 불편했다. 뭐든지 다, 어른 키 높이에 맞춰져 있었기 때문이다. 엄마한테 비밀 이야기도 할 수 없다. 비밀 이야기는, 귀에다 소곤거리는 이야기다. 그런데 엄마의 귀는, 까치발을 해도 닿지 않을 것 같은, 엄청나게 높은 데에 있었다.

네가 좋아하는 건, 야구였다. 하지만 너는 아직 한 손으로 공을 제대로 잡지도 못했다. 공이 네 손바닥보다 훨씬 컸기 때문이다. 네가 야구를 좋아한 건, 네 아빠가 야구를 잘했기 때문이다. 아빠는 네 키 높이 정도의 배트를 가볍게 휘둘렀다. 그리고 누가 던져도 언제나 가뿐히 큰 홈런을 쳤다.

아이인 너는, 아빠와 함께, 자주 야구장에

갔다. 야구장에 가는 게 즐거웠다. 평소에는 무서운 아빠가, 홈런을 치면, 너를 보며 웃었다. 너의 아빠는 다부졌다. 키가 크고, 굵은 팔과 빠른 발을 가졌다. 너의 아빠는, 아직 너의 아빠가 아니었을 때, 이름난 야구 선수였다. 동네 야구에서 홈런을 치는 것쯤은, 간단했다.

그때도 너의 아빠는 멋지게 홈런을 쳤다. 경기는 그걸로 끝이 났다. 아빠가 돌아오더니, 너에게 말했다. "야구가 재밌어?"

"응." 너는 대답했다.

"그럼 크면 아빠랑 야구하자." 아빠가 말했다.

"정말?" 너는 기뻐서 숨이 막힐 것만 같았다. 아빠가 너를 동료로 대해 주겠다는 말이었다. "그럼 나, 다음 주까지 클 거야!"

다음 주가 왔다. 하지만 너는 조금도 커지지 않았다. 결심이 부족했던 거야, 하고 너는 생각했다. 그리고 이번에야말로 너는 마음을 굳게 먹었다. 어른 어깨 높이까지는 커야 해. 그리고 드디어, 결심대로, 너는 어른의 어깨 높이까지 컸다. 이번엔, 어른 키 높이까지 커야지. 그리고 마침내, 결심대로, 너는 어른만큼 커졌다. 그렇지만, 거기까지였다. 아무리 결심해도, 너는 이제 두 번 다시, 그보다 더 커지지는 않았다. 너는, 너에게 맞는 키 높이 이상의 인간은 될 수 없었다.

바로 그때였다. 그때 너는 이제, 한 명의 아이가 아니라, 한 명의 어른이 되어 있었던 것이다. 지금보다 더 클 수는 없다는 걸 알았을 때. 좋든 싫든, 어쨌든 너에게는, 너에게 꼭 맞는 키 높이밖엔 없다는 걸, 네가 처음으로 깨달았을 때.

여섯

'왜' 하고 생각하는 건, 아이인 너에겐 신기한 것이었다. 당연하다고 생각했던 것이, '왜' 하고 생각하는 순간, 당연한 것이 아니게 되어 버리기 때문이다.

예를 들면, 단추다. 네 옷의 단추는 오른쪽에 달려 있고, 단춧구멍은 왼쪽에 나 있다. 왼쪽 자락이 앞에 온다. 그건 네가 남자아이이기 때문이다. 여자아이의 단추는 왼쪽에 달려 있고, 단춧구멍은 오른쪽에 나 있다. 오른쪽 자락이 앞에 온다. 어느 남자아이든 어느 여자아이든, 단추는 다 그렇다. 당연한 거다. 그런데, 왜 남자아이는 왼쪽 자락이 앞이고, 여자아이는 오른쪽 자락이 앞이어야 할까. 왜 그럴까? 그런 구별 같은 건 하지 않아도, 남자아이는 여자아이가 아니고, 여자아이는 남자아이가 아닌데.

또는, 책이다. 너는 책을 한 권 갖고 있었다. 너의 친구도 같은 책을 갖고 있었다. 같은 책이지만, 너의 책은 네 것이고, 친구의 책은 친구 것이고, 두 책은 다른 책이었다. 친구의 책은 깨끗했지만, 너의 책은 조금 더러웠다. 하지만 서로 다른 두 권의 책은 역시, 같은 한 권의 책이었다. 너의 책으로 읽든, 친구의 책을 빌려 읽든, 같은 책을 읽은 것에는 변함이 없다. 두 권의 책은 같은 책이었다. 왜 그럴까? 다른 책이었는데.

아니면, 거울이다. 거울 앞에 서서, 아이인 너는 오른손을 든다. 그러면 거울 속의 너는 왼손을 든다. 네가 왼쪽 귀를 잡아당기면, 거울 속의 너는 오른쪽 귀를 잡아당겼다. 왜 그럴까? 거울이기 때문이다. 거울 속에서는 오른쪽과 왼쪽이 반드시 반대로 되기 때문이다. 당연한 거다. 의자를 네 왼쪽에 놓는다. 그러면 거울 속의 의자는 네 오른쪽에 있다.

그렇지만, 하고 너는 의심했다. 그리고 벌러덩 거울 앞에 드러누웠다. 그러자 거울 속의 너도 벌러덩 드러누웠다. 드러누운 너의 머리는 오른쪽, 너의 발은 왼쪽. 그런데 이상하다. 거울 속의 네 머리도 오른쪽, 네 발도 왼쪽. 똑같다. 어, 오른쪽과 왼쪽이 반대로 되지 않네.

왜 그럴까? 똑같은 거울인데.

그러한 '왜'가 한가득, 네 주변에 있었다. '왜'에는 언제나 답이 없었다. 그런 '왜'를 생각하는 게 쓸데없는 일이었을까. 누군가 말했다, "생각해 봤자 쓸데없어. 그렇게 돼 있는 거야." 실제로, 그렇게 생각하는 편이 훨씬 편했다. 아무 생각도 하지 않아도 되니까. 하지만 '그렇게 돼 있을' 뿐이라면, 너의 주변에는 그저 당연한 것밖에 남지 않게 된다. 그러면 정말로 따분했겠지. '왜' 하고 생각하는 편이 너에게는,

수수께끼와 스릴로 가득했기 때문이다. 그런데 문득 정신이 들어 보니, 언제부터인가, '왜'라는 말을 별로 꺼내지 않게 되었다.

바로 그때였다. 그때 너는 이제, 한 명의 아이가 아니라, 한 명의 어른이 되어 있었던 것이다. '왜' 하고 신나게 생각하는 대신에, '그렇게 돼 있는 거야'라는 따분한 대답으로, 어떤 의문도 간단히 지워 버리게 되었을 때.

일곱

건전지 하나에 꼬마전구 한 개를 연결한다. 그리고 꼬마전구를 한 개 더 잇는다. 이때, 전구 두 개를 나란히 직렬로 이으면, 전구의 밝기는 둘 다 한층 약해진다. 하지만, 전구 두 개를 두 단으로 나눠 병렬로 이으면, 어느 쪽의 밝기도, 건전지 하나에 전구 하나를 이었을 때와 조금도 변함이 없다.

직렬식과 병렬식의 그 차이를 너는 지금도 잘 기억하고 있다. 거기에는 이유가 있다. 네가 처음으로 여자아이한테서 받은 편지에, 그것이 적혀 있었기 때문이다. 직렬식과 병렬식의 차이를 처음으로 학교에서 배웠을 무렵의 일이었다.

매일 학교에서 얼굴을 마주쳐도, 그때는, 남자아이와 여자아이가 서로 이야기하는 일이 거의 없었다. 사실은 말도 하고 싶고, 웃고도 싶은데, 너희는 솔직하게 그렇게 할 수 없었다. 남자아이와 여자아이가 서로의 차이를 깨닫기 시작하면, 서로를 잇는 자연스러운 말이, 갑자기 사라져 버린다. 그래서 너희는 자주 편지를 썼다.

하지만 편지에서조차 일부러 어려운 말을 찾아내서, 딱딱한 말을 썼다. 예를 들면, "나는 너에게 관심이 있어"라고 남자아이가 쓰면 그건 "나는 네가 좋아"라는 의미였다. 그리고 여자아이가 "그 애는 나를 의식하고 있어"라고 하면 그건 "그 애는 나를 좋아해"라는 뜻이었다.

"좋아해"라는 단지 그뿐인 말을, 너희는 도저히 할 수가 없었다. "좋아해"라고 말하고 싶지만, 혹시라도 "좋아하니까, 어쩌라고?"라는 말을 듣는다면 그걸로 끝이라는 걸, 너희는 알고 있었다. 마침내 너희는, 서로 다른 인간이 서로의 차이를 함께하는 것의 어려움을 조금씩 알기 시작했다.

그럴 무렵, 너는 좋아하는 여자아이에게 처음으로 편지를 썼고, 답장을 받았다. "편지 고마워." 여자아이는 이렇게 썼다. "네가 날 의식하고 있는 거 몰랐어. 하지만 안 돼. 난 직렬식 우정은 믿지 않아. 내가 믿는 건, 병렬식 우정

뿐이야. 안녕." 그 편지를 받았을 때, 너는 허둥지둥 과학 교과서를 펼쳐 놓고 복습을 해야 했다. 너는 과학은 잘하지 못했다.

너는 두 번 다시, 여자아이에게 편지를 쓰지 않았다. 복습하지 않으면 이해할 수 없는 답장을 받다니, 진절머리가 난다. 하지만, 다 큰 뒤에도, 너는 그때 여자아이가 보낸 답장의 그 말을 잊을 수가 없었다. 너는 이제는, 두 사람의 서로 다른 인간이 서로의 밝기를 약하게 하지 않고, 같은 밝기 그대로 함께한다는 것이

얼마나 어려운 일인지를, 잘 알고 있다.

바로 그때였다. 그때 너는 이제, 한 명의 아이가 아니라, 한 명의 어른이 되어 있었던 것이다. 사람을 직렬식이 아니라 병렬식으로 좋아한다는 것이 얼마나 어려운지를, 네가 진정으로 알게 되었을 때.

여덟

아버지는 말이 없었다. 이따금 큰 찻잔에 입을 대고, 뭔가를 응시하며, 숨을 삼키듯 조용히 홀짝인다. 찻잔에 든 건, 차가 아니라, 차가운 술이다. 재떨이가 담배꽁초로 가득했다. 화가 났나 싶었지만, 아니었다. 생각에 잠긴 것도, 아니다. 너를 보아도, 아무 말 없이, 바로 눈길을 돌렸다. 그저 가만히 어두운 눈을 하고 있었다. 그러고는 갑자기 일어나더니, 그대로 방을 나갔다. 현관문이 드르륵 열리고, 닫힌다.

여름이다. 긴 하루가 겨우 끝나려 했지만, 아직 밝았다. 멀리 산등성이의 그림자가 전지(剪紙) 공예품처럼 예뻤다. 아버지 뒤를 쫓아가려다가, 너는 망설인다. 집에는 아무도 없었다. 너는 책을 끄집어내서 읽는다. 일부러 소리 내어 읽는다. 하지만 이야기의 줄거리가 머리에 들어오지 않는다. 문득 너는, 저런 모습의 아버지는 지금까지 본 적이 없어, 하고 생각한다. 책을 덮고, 너는 서둘러 일어난다. 자신의 기분을 밀듯 자전거를 밀며, 거리로 나간다.

서서히 해가 저무는 여름의 거리를, 숨을 죽이고, 너는 자전거로 달린다. 나지막한 집들이 늘어선 길을 빠져나와, 강까지 간다. 둑 위를 달리다가, 신사 옆의 벌써 어둑해진 길로 나온다. 경내를 가로질러, 탱자나무 울타리가 이어진 오솔길을 달린다. 그렇게 동네를 한 바퀴 돌아, 마침내 너는, 언덕 아래 넓은 운동장에서, 아버지를 발견한다. 아버지는 커다란 그물망을 등지고, 혼자 묵묵히, 있는 힘껏 배트를 휘두르고 있었다. 보이지 않는 타구가 쭈욱, 보이지 않는 야수(野手)의 머리 위를, 낮은 직선타로 넘어간다. 날카롭게 내리치는 듯한 스윙이었다.

배트 끝이 휙 잽싸게 돌 때마다, 거기에는 순간, 새의 날개짓이 나타나는 것 같았다. 너에게는 아버지가 당장에라도 그 작은 날개짓 속으로 들어가려는 남자처럼 보였다. 남자는 마음의 밖으로 나가려고, 죽을 힘을 다해 애쓰고 있었다.

아무도 없는 여름 해질녘의 넓은 운동장에

서, 죽을 힘을 다해 배트를 휘두르는 한 남자를, 너는 멀리서 말없이 바라보고 있었다. 한 남자의 그림자가 그라운드 위에 점점 길어졌다. 그 남자는 너의 아버지였지만, 그러나 네가 거기서 본 것은, 화내고 싶은 건지 울고 싶은 건지 알 수 없는 기분을 어찌할 수가 없어 스스로 껴안고 있던 한 고독한 남자였음을, 너는 훨씬 시간이 지난 후에, 신기하게 그리워하며 회상할 것이다.

그때는 분명히 그렇게는 알지 못했고, 아버

지가 그때 무엇을 힘들어했는지도, 너는 몰랐다. 어쩌면, 그날그날 작은 적들과 싸워 이기는 것이 진짜 용기라고 한다면, 그 진짜 용기가 부족했을 뿐이었는지도 모른다.

하지만, 바로 그때였다. 그때 너는 이제, 한 명의 아이가 아니라, 한 명의 어른이 되어 있었던 것이다. 네가, 한 명의 완전한 인간이 아니라, 어느 누구와도 똑같은 한 명의 불완전한 인간의 모습을, 여름 해질녘 그라운드에서, 멀리 네 아버지의 모습에서 바라보고 있었을 때.

아홉

괘종시계가 댕 하고 울린다. 뻐꾸기시계가 뻐꾹 하고 운다. 자명종 시계가 땡 하고 순간 날카로운 소리를 낸다. 초침은 달린다. 분침이 성큼성큼 쫓아간다. 시침은 쭈그리고 앉아 있다. 모든 시계가 서두른다. 서두르면서, 중얼거리고 있다.

시계방 아저씨의 가게 안은 언제나 째깍째깍 소리로 시끌벅적했지만, 아저씨는 언제나 조용한 사람이었다. 하루 종일 가게에 앉아, 말없이, 시계를 수리하고 있었다.

시계방 아저씨는 산책을 좋아했다. 아이가 없는 시계방 아저씨는, 아이인 너를 데리고 자주 산책을 했다. 아저씨 가게에 간다. 시계방은 너의 집 바로 근처다. "왔구나." 너의 얼굴을 보면, 아저씨는 일어난다. 하나뿐인 다리로, 능숙하게. 아저씨는 한쪽 다리가 없었다. 언제나 한쪽 바지통을 반으로 접고, 목발을 짚고 있었다.

시계방 아저씨는 너에게 여러 가지 이야기를 해 주었다. 장화 신은 고양이 이야기. 북풍이 준 테이블보 이야기. 멋진 회중시계를 가진 이상한 나라의 토끼 이야기. 하지만 지금도 네가 가장 또렷이 기억하는 건, 아저씨가 한쪽 다리를 잃어버린 이야기다.

"전쟁이야." 시계방 아저씨는 조용히 말했다. "전쟁에 나가서, 아저씨는 한쪽 다리를 잃어버렸어. 아저씨뿐만이 아니야. 전쟁에 나간 사람은 누구나, 뭔가를 잃어버렸어. 전쟁에서 죽은 사람은 인생을 잃었지. 인생이란 게 뭔지 아려나? 사람이 살아간다는 거야. 아저씨는 인생을 잃는 대신에, 한쪽 다리를 잃었단다."

"안 아파요?" 너는 묻는다. 너는 전쟁을 모르는 아이였다.

"아프진 않아. 다리는 없어져 버렸으니까, 아프지도 아무렇지도 않아. 아픈 건, 마음이란다."

"마음?"

"그래, 마음이야. 마음이 아파."

시계방 아저씨는 그렇게 말하고는, 아무 말이 없었다. 아이인 너는 알 수가 없었다. 마음이란 게 대체 뭘까? 하지만 그건 물어보면 안 될 것 같았다. 마음이란 게 뭐지? 마음이 아프다는 건 어떤 것일까? 하지만 너는, 마음 따위는 금세 잊어버린다.

너의 집이 다른 동네로 이사를 간 건, 그러고 나서 얼마 뒤의 일이었다. 그 후로 너는, 친한 친구였던 시계방 아저씨도 잊어버렸다. 그런데 시간이 흘러, 정말로 문득, 너는 내내 잊고 있던 시계방 아저씨를 떠올린다. 전쟁에서 한쪽 다리를 잃은 시계방 아저씨가 언젠가 너에게 들려준 이야기. 그건 네가 문득 "아아, 마음이 아파" 하고 중얼거린 날의 일이었다. 그래, 옛날에 친한 친구였던 외다리 시계방 아저씨도 똑같은 말을 했었지. 마음이 아프다고.

바로 그때였다. 그때 너는 이제, 한 명의 아이가 아니라, 한 명의 어른이 되어 있었던 것이다. 네가 외다리 시계방 아저씨가 했던 말을 또렷이 떠올렸을 때. 네가 너의 인생에서, '마음이 아파'라고밖에 말할 수 없는 아픔을, 처음으로 스스로 알았을 때.

제2부

큰 나무

큰 나무

큰 나무를 보면, 멈춰 서고 싶어진다. 싹이 틀 무렵의 큰 나무 아래를, 너는 좋아한다. 눈을 들면 햇빛이, 옅은 이파리 하나하나에 흩날리듯 퍼져, 금세라도 물방울처럼 똑똑 떨어질 것만 같다. 여름에는 큰 나무가 큰 그림자를 만든다. 그림자 속에 들어가 올려다보면, 주위가 갑자기, 쨍 하고 고요해지는 것 같은 기분에 사로잡힌다.

큰 나무의 겨울도 좋다. 뺨은 차지만, 공기는 맑다. 가만히 올려다본다. 검고 가느다란 가

지들이, 안간힘을 쓰며, 하늘을 붙잡으려 한다. 하지만 잿빛 하늘은, 천천히 도는 듯이 움직이고 있다. 차가운 바람이 빙글빙글, 마음의 언저리를 돌며, 달려간다. 큰 나무 밑에 무엇이 있을까. 아무것도 없다. 아무것도 없지만, 나무 크기만큼의 침묵이 있다.

꽃집

길을 가다 마음을 끄는 건, 동네의 작은 꽃집이다. 그 앞을 지나치다가, 여태껏 알아채지 못했던 무언가를 본 것 같은 기분에, 무심코 뒤돌아볼 때가 있다.

예를 들면, 가게 앞에 있는, 별 대단치 않은 꽃들을 보다가, 꽃들이 머무는 산뜻한 햇살이 느껴져 눈을 들어 보면, 거리 풍경의 색이 미묘하게 달라져 보일 때가 있다. 가게 앞에 가만히 놓여 있는 화분의 꽃 때문에, 잊어버렸던 기억의 상처 자국이 벌어질 때도 있다.

어느 날 문득, 어제까지 몰라보던 화초를 알아차린다. 계절이 바뀐 것이다. 거리의 계절은 언제나 제일 먼저, 꽃집 앞부터 변해 간다. 꽃집 앞에는, 길 가는 사람의 마음을 붙잡는 무언가가 있다. 언제나 사람을 깜짝 놀라게 하는, 밝은 놀라움이 있다.

골목길

골목길. 또는 샛길이라고도 쓴다. 마을 안에 모여 있는 집들 사이를 빠져나가는 길. 서로의 처마 끝을 지나는 것 같은 길 양쪽 현관 앞에, 화분에 심은 꽃이 나와 있다. 그 맞은편에는, 담장 위를 화분 받침으로 삼아, 화분 몇 개가 나란하다. 봄에는 복숭아꽃. 여름의 나팔꽃. 선인장꽃. 가을은 새파란 도라지꽃. 산뜻한 꽃들이 고즈넉한 골목길을 환하게 한다.

그곳에 꽃들이 놓여 있다. 그저 그뿐인데도, 꽃들이 놓인 골목길을 지나가면, 문득 하루하루의 마음가짐이 새로워지는 것 같다…… 우리 서로, 좋은 하루 보내요…… 문득 그런 말을 걸어 오는 것 같다. 꽃들을 그곳에 두고, 골목길을 빠져나가는 사람들에게 건네는 꽃들의 인사를, 일상 속에 간직한다. 아무도 없지만, 꽃이 그곳에 있다. 그런 골목 풍경이 좋다.

공원

낮게 가지를 뻗은 매화나무들이, 완만한 언덕 비탈을 따라 펼쳐져 있다. 꽃의 계절이 지나면, 햇빛이 강해진다. 나무의 초록빛이 짙어진다. 밝은 고요함이 깊어진다. 미풍이 손에 잡힐 것만 같다. 너는 벤치에 앉아, 지나가는 길에 사 온 헌책을 들춰 본다. 매화나무들 사이로 아이들이 프리스비 놀이에 정신이 없다. 노인과 개가 산책길을 올라온다.

마을 안 언덕 위의 작은 공원이다. 아기를 태운 유모차를 밀며, 소년 같은 아빠와 소녀

같은 엄마가, 서로 웃으며 지나간다. 비둘기 떼가 내려앉아, 윤이 나는 날개를 접는다. 구구 하고 울며, 팝콘을 쪼아 흩트린다. 가까운 듯 멀리서, 누가 트롬본을 불고 있다. 일요일의 공원 오후에는, 영원보다 길게 느껴지는 한순간이 있다.

산길

산이 있는 역에서 내려, 산골짜기 길을 걷는다. 작은 다리를 건너고, 시골길을 지나, 가파른 비탈을 오르면, 짙은 초록의 산들이 겹겹이 모인 풍경이, 느닷없이 펼쳐진다. 산 둘레를 감싸며 구불구불 이어지는 길. 말없이 걷는다. 멈춰 선다. 뒤돌아본다. 비탈에 환히 펼쳐진 밭. 골짜기로 내려가는 어두운 삼나무 숲. 쏟아지듯 늘어서 있는 대나무 숲. 멀리 인가의 파란 지붕.

단지 걷는 것만으로, 너는 하루의 고독을

없앤다. 산길을 산책하는 즐거움은, 아무렇지도 않은 우연한 풍경의 채집이다. 개울의 돌을 집어 들면, 도망치는 민물게. 길을 잃고 나온 두꺼비. 농가의 토끼. 짧은 인사말. 나무숲 속의 표고버섯 재배목. 버려진 숯가마니. 갑자기 달려가는 바람의 발소리. 해그늘. 달개비꽃의 파랑. 늙은 거목의 두꺼운 잎의 무성함. 나뭇가지를 건너가는 새의 날갯짓.

소나기

갑자기, 굵은 빗방울이 떨어졌다. 늘어선 집들 위의 하늘이, 갑자기 낮아졌다. 아스팔트 길이 순식간에 검푸르게 변하고, 빗물이 한순간 망설이다가, 갓돌을 따라 기세 좋게 달리기 시작했다. 젊은 여자 둘이, 머리가 젖은 채, 서로 웃으며 뛰어왔다. 회색 고양이가 길을 가로질러, 모습을 감추었다. 자전거를 탄 소년이 비를 뚫고, 물보라를 튀기며 지나갔다.

비가 그치기를 기다리며 너는 세찬 빗줄기를 바라보고 있다. 비는 곧아지다가 비스듬해

지더니, 바람에 흩날리며, 쏴아 하고 불어닥친다. 가만히 계속, 비 오는 하늘을 쳐다보고 있으면, 어느샌가 마음의 양동이에 빗물이 고이는 것 같다. 옛날, 그리스 철학자가 말했다지.
(……영혼은 말이지, 양동이에 가득 담긴 빗물이랑 아주 비슷해……)

나무의 나뭇잎이 촉촉이, 묘하게 밝아졌다. 먼 곳과 가까운 곳이, 갑자기 또렷해졌다. 비가 그친 것이다.

산책

그냥 걷는다. 손에 아무것도 들지 않는다. 서두르지 않는다. 마음에 드는 길모퉁이가 나오면, 쓱 방향을 바꾼다. 모퉁이를 돌면, 길 앞의 풍경이 확 달라진다. 구불구불 이어지는 좁은 길도 있고, 뜻밖의 내리막길에서 무릎이 후들거리기도 한다. 넓은 길로 나오면, 멀리서 하늘이 이쪽으로 천천히 펼쳐진다. 어느 길이든, 길 하나하나가, 저마다 다르다.

마을에 숨겨진, 보이지 않는 사다리타기 종이를 스르륵 펼치듯, 길모퉁이를 몇 개나 돌며, 어디에 가기 위해서가 아니라, 그냥 걷는 것을 즐기기 위해 마을을 걷는다. 아주 간단하다. 아주 간단해 보이지만, 그럴까? 어디로 뭔가를 하러 갈 수는 있어도, 걷는 것 자체를 즐기기 위해 걷는 것. 그게 쉽게 잘 안 된다. 세상에서 가장 어려운 건, 가장 간단한 것.

친구

자전거를 타고, 너는 밤길을 천천히 달린다. 밝은 집들의 모퉁이를 돌면, 가파른 언덕이다. 숨을 헐떡이며 올라간다. 페달을 밟을 때마다 전조등이 심하게 흔들리고, 따스한 바람이 땀내를 쓱 닦아 낸다. 언덕 끝까지 올라가서, 철길로 향하는 어두운 샛길로 꺾는다. 길 중간까지 커다란 고목의 그림자가 드리워져 있고, 나무 밑 그늘엔 한가득, 잡풀이 기세 좋게 펼쳐져 있다.

자전거를 세우고, 숨을 멈추고는, 귀를 기울

인다. 이런 어두운 데서 혼자 뭐 하고 있는 거냐고 누가 묻는다면, 뭐라고 말할까. 친구를 기다린다고 할까. 부스럭, 부스럭. 반가운 소리가 희미하게 난다. 너는 미소 짓는다. 커다란 늙은 두꺼비 한 마리가 어기적어기적, 나무 그늘 속에서 나온다. 이야, 하고 너는 말한다. 너의 옛 친구 두꺼비는 약속을 어기지 않았다. 우리의 별은 태양의 주위를 한 바퀴 돌았고, 올해도 멋진 계절이 찾아온 것이다.

삼색고양이

고양이는 언제나 거기에 있었다. 맑은 날에도, 비 오는 날에도. 추운 밤에도, 따스한 밤에도. 배추. 파 다발. 가지 더미. 구부러진 오이. 강낭콩. 양파. 단호박. 양배추. 제철 채소들 사이에서 고양이는, 빨간 목줄을 하고, 몸을 웅크린 채, 가만히 눈을 감고 있었다.

전철역이 있는 마을, 작은 길의 야채 가게다. 노부부 둘이서 꾸려 가는, 재치 있는 야채 가게로, 늘 밤늦게까지 가게를 열었다. 밤이 깊어지면, 가게 앞은 불빛이 가득해, 야채도, 고양이도 빛이 나 보였다. 털이 멋진, 큰 삼색고양이였다.

어느 날, 야채 가게는 문을 닫았다. 작은 종이가 붙어 있고, '고양이 상중'이라고 쓰여 있었다. 이튿날, 야채 가게는 문을 열었다. 그리고, 늘 그 자리에, 이번에는 아주 작은 삼색고양이가, 빨간 목줄을 하고, 몸을 웅크린 채, 가만히 눈을 감고 있었다.

바닷가

파도가 부서져, 작은 소금 거품을 흩뿌리며, 물가로 다가온다. 갑자기 주춤하다, 다시 돌아간다. 젖은 모래가 가득 펼쳐진 채, 오후 햇살에 희미하게 반짝인다. 옅은 먹색의 파도가 일었다가, 또다시 부서져 다가온다. 밀려왔다 돌아갈 뿐인 청정한 술렁임 속에 발을 디디면, 문득 모든 소리가 사라져 버린다. 가만히 있다가, 두세 발짝 걷는다. 멈춰 선다.

바닷가에 남겨진 채 이지러진 조개껍데기. 발밑에 감기는 해초. 나뭇결이 떠오른 아름다운 나뭇조각. 보석 같은 유리병 조각. 매끌매끌한 납작돌. 눈을 뜨고 있는 인형 머리. 새하얀 뼛조각. 나뭇가지. 눈을 들면, 희미한 먼바다 아득히, 하늘이, 바다의 쪽빛 천 자락 끝을 당겨 올리고 있다. 그렇게 바람이 차가워질 때까지, 가만히 있는다. 이유는 없다. 너는 그저 바다를 보러 온 것이다.

매요신

하루의 무료함, 뜨거운 커피를 내리고, 너는 매요신을 읽는다. 목소리를 높이지 않는다. 화려한 것은 마음에 걸리니까, 하지 않는다. 매요신은 말의 평담(平淡)함을 올곧게 바랐던 북송의 시인이었다. 지렁이. 방아깨비. 미꾸라지. 개구리. 복어. 모기. 파리. 이. 구더기. 까마귀. 뭐든지 시로 지었다. 누구에게나 보이지만 아무도 보지 않는, 평범한 일상의 풍경에서 시를, 모자에서 비둘기를 꺼내듯, 꺼냈다.

事固無醜好(사고무추호) 사물에는 본래

추함과 아름다움이 없다

醜好貴不惑(추호귀불혹) 추함과 아름다움에 미혹되지 않음을 중요하게 여긴다

원래 사물 그 자체에는 추함도 아름다움도 없다. 중요한 건, 추함이나 아름다움의 포로가 되지 않는 것. 사물을 있는 그대로 보는 것이다. 인간의 자의적인 감정으로, 이 세상의 장난에 대해 아름답다느니 추하다느니 하지 않는 것이다. 그렇게 조용히 혼자 중얼거렸던 천 년 전 거리의 시인이, 너는 좋다.

동화

나무들의 초록빛에 어느샌가 매서운 기운이 느껴지게 되면, 해질녘이 빨라진다. 눈을 들면, 아직 저물지 않은 서쪽 하늘이 아름답다. 바람은 아직 부드럽지만, 풍경의 윤곽은 이미 날카로워져 있다. "어디선가 관에 못 박는 소리가 들리네" 하고 시인이 노래한 것이, 언제적 가을이었나. 햇빛이 아쉬워지는 계절이 되면, 언젠가 읽은 무척 좋아하는 동화를, 너는 떠올린다.

"거기서 뭐 하세요?" 하고 누가 물었다. "손

수레 가득, 해님의 빛을 싣고 가고 싶은데, 힘이 들어요. 아무래도 그늘 속에 들어가면, 금방 사라져 버리니까요." "손수레 가득한 햇빛으로 뭘 하려고요?" "아이가 추위 때문에 집에서 죽은 듯이 있어서, 따뜻하게 해 주고 싶어요."

석류

아름다운 불의 색을 띤 꽃을 피우고는, 곧 이어, 아름다운 피의 색을 띤 과육을 껍질로 꼬옥 감싼 열매를, 커다랗게 맺는다. 어느 날, 그 열매가 쩍 하고 붉게 입을 벌리면, 벌써 가을이 거기에 와 있다. 석류 열매가 갈라지는 계절이 오면, 그 남자가 생각난다.

달은 늦도록 아직 오르지 않는다. 고개를 들어 맑은 하늘을 보면, 무수한 별들이 어지러이 엉켜 내 머리 위에 있다. 그리고 나는 땅 위의 미물 하나, …… 별이 흩어지는 밤에는, 그 남자가 남긴 말이 생각난다.

바람처럼 왔다, 바람처럼 가 버린 남자다. 불과 백 년 전, 그 남자는 말없이 혼자서, 스스로 목을 매어, 달밤에 죽었다. 불의 색을 띤 말과, 쩍 갈라진 인생의 핏빛이, '도코쿠'라는 이름의 그 청년에 대해, 네가 아는 전부다. 정말이다. 청년은 오른팔에, 선명한 석류 문신을 하고 있었다.

공터

공터에는 아무것도 없었다. 그네도 흔들나무도 없었다. 벤치도 없었다. 나무 한 그루 없었기에 나무 그늘도 없었다. 세찬 비가 내리면, 여기저기 커다란 물웅덩이가 생겼다. 공터의 둘레는 언제나 더부룩한 풀숲이었다.

네가 처음으로 도마뱀을 본 건, 공터의 풀숲이다. 처음으로 하늘소를 잡은 것도. 너는 공터에서 자전거 타는 법을 배웠다. 야구를 배웠다. 처음으로 분해서 울었다. 봄에 민들레가 한꺼번에 하늘을 날아가는 것을 본 것도, 여름에 처음으로 '안타레스'라는 이름의 별을 알게 된 것도, 공터다. 겨울바람에 처음으로 커다란 연을 날린 것도. 공터는, 이젠 없어져 버렸다.

공터에는 아무것도 없었다. 하지만, 그 누구의 것도 아니었던, 아무것도 없던 공터에는, 다른 어디에도 없던 것이 있었다. 너의 자유가.

그림자

그림자를 밟는 놀이가 있었다. 해질녘부터 밤까지 아이들의 놀이였다. 둘이나 셋이서 앞다투어 서로의 그림자를 밟는다. 머리 그림자가 밟히면 지는 것이다. 해가 질 무렵은 그림자가 길다. 긴 그림자는 담장에 꺾여서 비치게 해야 한다. 가로등이 켜지면, 아무도 지지 않는다. 아차 싶으면, 가로등 바로 밑으로 도망간다. 그림자가 발밑으로 뛰어들어 스윽 사라진다.

서로 쫓아가다가, 도망치다가, 자기 그림자

를 살펴보다가, 그림자를 길게도 짧게도 하다가, 떠들다가, "안녕, 또 보자" 하고 외치며 집으로 달려갈 때까지의, 즐거운 골목 놀이였다. 지금은 볼 수 없게 된 아이들의 놀이다. 너는 그런 생각을 하다가 문득, 가슴이 철렁할 때가 있다. 어쩌면 아이들은 오늘 어딘가에서 자신의 그림자를 잃어버린 걸까, 하고.

이반 씨

“마을에 큰 떡갈나무가 있었습니다.” 이반 씨가 말했다. “나무 그늘은 여름에는 양치기와 양의 것, 그리고 도토리는 농부들의 돼지 사료로 정해져 있었습니다. 겨울철 삭정이는 마을의 과부댁들이 땔감으로 쓰고, 봄 새싹은 교회의 장식이었습니다. 해질녘 나무 아래는 마을 사람 모두의 쉼터였습니다.”

“번화가에는 큰 길이 있었고, 길에 앉아서 하늘을 바라보는 사람이 있었습니다. 트럼프를 하는 사람, 커피를 마시는 사람이 있었습니다. 정치 모임도 있었고, 포장마차나 노점에서 물건을 파는 사람도 있었습니다. 당나귀를 쫓는 사람도 있었습니다. 사람들 사이에는 인사말이 있었습니다."

"그런 마을도 번화가도, 지금은 사라졌습니다. 옛날이 좋았다고는 말하지 않겠습니다. 그렇지만, 그렇지만, 말이죠." 이반 씨가 말했다. "우리는 오늘, 행복한가요?"

* 이반 : 이반 일리치

도토리

나무숲 사이에서 나타나듯, 늦가을비가 다가온다. 빗소리 하나 들리지 않았는데, 햇살이 갑자기 멀어졌다 싶더니, 주위는 벌써 잿빛 안개로 부예졌다. 오래된 저택과 정원수를 그대로 남겨둔, 동네의 조용한 공원이다. 우거진 숲을 빠져나가는 자갈길을 돌아가면, 커다란 떡갈나무 한 그루가, 푸르고 커다란 가지 우산을 펼치고 있다.

늦가을비가 지나간 떡갈나무 아래에는, 촉촉이 젖은 땅 여기에도 저기에도 도토리가 떨어져 있다. 신기하다, 도토리는. 눈에 보이면, 주워 모으고 싶어진다. 주워 모으는 동안 어느새 정신없이 열중하게 된다.

도토리에는 왠지, 이제는 더 이상 떠올릴 수 없을 것 같은, 어린 기억의 감촉이 있다. 너는 말없이, 너의 잃어버린 추억의 개수를 헤아린다. 그것은 분명, 두 손 가득 주워 모은 도토리의 개수와 똑같다.

숨바꼭질

찌푸린 하늘을, 멋진 푸른 하늘로 만든다. 각설탕을, 하늘에서 떨어진 별 조각으로 바꾼다. 다섯 손가락을 다섯 색연필로 해서, 바람의 색, 해의 색을 몽땅 바꿔 그린다. 뜰에는 초콜릿 나무를 심는다. 아무리 말도 안 되는 것이라도, 어린 너는 놀이로 할 수 있었다. 상상만으로도 너는 누구든지 될 수 있었다. 미장이도. 매잡이도. '하트잭'도.

할 수 없는 걸 할 수 있었다. 어려운 것도 쉬웠다. 놀이에서 진짜 어려운 건, 딱 하나. 놀이를 끝내는 것. 아무리 즐거워도, 놀이는 사실, 정말로 무서운 것이다.

네 어릴 적 친구 하나는, 놀이를 끝내는 법을 몰랐다. 해질녘의 숨바꼭질. 그 아이는 큰 은행나무 둥치 뒤에 숨었다. 그 후, 두 번 다시 모습을 보이지 않았다. 은행나무 뒤에는, 지금도 네 어릴 적 친구가, 숨어 있다.

연하장

오래된 철교가 놓인 큰 강 옆의 중학교에서, 두 소년이 책상을 나란히 하고 삼 년을 함께 보냈다. 두 소년은 영어와 농구를 배웠고, 토끼를 키웠고, 백엽상자 여는 법을 알았고, 맨다리의 소녀들을 눈부시게 쳐다보았고, 강물 빛을 이마에 받으며 전속력으로 자전거를 달렸고, 등나무 시렁 밑에서 맞붙어 싸워, 아무도 없는 체육관에서 해질녘까지 벌을 섰다.

두 소년은 그 후 두 번 다시 만난 적이 없다. 얼마 지나지 않아, 오래된 철교가 놓인 강이 있는 마을을, 너는 남쪽으로, 그는 북쪽으로 떠났고, 열 손가락을 꼽고 펼치고 또다시 꼽아도 모자랄 만큼의 해가 지나고 나서 너희들 손에 쥐어진 건, 쏜살같은 세월의 숫자와, 그와 똑같은 개수만큼의 연하장뿐이다.

설날 편지 다발 속에서 올해도 너는, 웃는 얼굴 말고는 이제 기억나지 않는 북쪽의 친구가 보낸 한 장의 엽서를 찾는다. 늘 그렇듯 흘려 쓴 글씨로, 늘 그렇듯 짧은 말. 잘 지내? 새해 축하.

새해 참배

차가운 바람이 천천히 종소리를 감싸고 있다. 멀리, 전차가 달리는 소리가 들린다. 집들 사이로 굽이진 길에, 친근한 이의 목소리가 울려 퍼진다. 벌써 한밤이 지났는데도, 주변 어딘가에는, 아직도 해가 진 지 얼마 되지 않은 것 같은 떠들썩함이 있다. 새까만 지붕들이 이어진 저편으로, 밤거리의 하늘이 환하다. 멀리 있는 모든 게 가까이 느껴진다.

커다란 어둠을 드리우고 있는, 커다란 밤의 나무 밑을 지나간다. 화톳불이 놓인 작은 경내로 이어지는 돌계단을 오른다. 하마야(破魔矢) 화살을 손에 쥔 청바지 차림의 젊은 남녀가, 돌계단 중간에 앉아, 별을 헤아리고 있다. 설날 참배의 즐거움은, 한밤중의 자유. 에마(絵馬). 도자기 방울. 부적. 꼭꼭 접어 나뭇가지에 묶은 오미쿠지 종이. 아주 소소한 것, 덧없지만, 덧없는 만큼 조금은, 남모를 희망을 물어보려는 것.

철봉

아무도 없는 겨울의 작은 공원, 한쪽 구석에 있는 철봉 하나는——알고 있니——사실은 신령님이 이 세상에 깜빡 놓고 간 것이다. 헉 소리가 날 만큼 차가운, 검은빛의 철봉을 손으로 잡고, 있는 힘껏 땅을 박차 보면, 그것을 알 수 있다. 한순간, 주변 풍경이 빙글 도는구나 싶으면, 이미 너의 몸은, 늘 보던 세상의 한가운데에 떠올라 있다.

신기하다. 모든 풍경이 다르게 보인다. 아주 살짝 눈높이가 달라졌을 뿐. 숨을 가라앉히고, 바로잡기로 바꿔 잡고, 너는 몸을 회전한다. 한 번 더. 또 한 번 더. 그러면, 흔한 세상이 훽 뒤집힌다. 전깃줄, 집들의 지붕, 나무 우듬지, 하늘의 푸름이, 와락 마음속으로 날아든다. 공기는 무섭게 차갑지만, 심장 고동은 따뜻하다. 자신의 고동이 이 세상의 고동인 것처럼 또렷이 느껴진다. 너는 단단히 고쳐 잡는다, 신령님이 여기에 깜빡 놓고 간 오래된 철봉을, 마치 세상의 회전축인 것처럼.

별무리

차가운 별무리 속에 그 행성이 있고, 그 행성 위에 그 나라가 있고, 그 나라에 그 마을이 있고, 마을에는 북적임이 있고, 북적임은 번화한 거리를 만들고, 마을의 거리는 꼬불꼬불한 골목으로 이어지고, 골목에는 몇 안 되는 나무들이 죽 늘어서 있고, 몇 안 되는 나무들이 반짝이는 가운데 나무 집이 있고, 나무 집에 나무 방이 있고, 작은 방에 텅 빈 침대가 있고, 그 침대 위에, 아름다운 꿈이 하나, 떨어져 있다.

이제 아무도 아름다운 꿈 같은 건 말하지 않는다. 텅 빈 침대 위에, 잊혀진 채 남겨진 꿈. 작은 방 안의 텅 빈 침대. 집 안의 방. 몇 안 되는 나무들이 반짝이는 가운데 있는 집. 골목에 죽 늘어서 있는 몇 안 되는 나무들. 마을의 거리로 이어지는 골목길. 북적임이 만드는 번화한 거리. 마을의 북적임 속에 침묵하고 있는 사람들. 그런 마을이 너의 나라에 있고, 너의 나라는 행성 위에 있고, 행성은 차가운 별무리 속.

피터슨 부인

너에게 친근한 것은, 매일매일 별 대단치 않은 것들. 예를 들면, 네 방의 밝은 창. 그 창이 네 방에 만들어 주는 양지바른 곳. 미닫이창은, 열면 쓰윽 고양이처럼, 바람이 들어온다. 단단한 소나무 한 장으로 된, 서랍 없는 단순한 책상.

책상 위에는, 날마다 보는 네 친구들. 연필과 지우개. 하얀 종이. 펼쳐진 책. 사전. 유리 재떨이. 갓 내린 커피. 지금 듣고 있는 레코드의 재킷. 그리고, 장난감 다람쥐와 코뿔소와,

무쇠로 만든 물새와 비버와, 손바닥만 한 크기의 이름도 모르는 목각 괴조(怪鳥).

하지만 무엇보다 정이 가는 건, 피터슨 부인이다. 네 방에 있는 아름다운 동거인이다. 아주 오래전부터 그녀는, 너와 하루하루를 함께 했다. 네 창가의 베고니아 화분 하나. 수많은 꽃송이를 한꺼번에 매달듯이 피우는, '피터슨 부인'이라는 이름의 꽃.

먼 옛날, 1915년의 일. 세상이 온통 거룩한 대전(大戰)에 열중하며, 살육이 힘의 정의라고 믿었던 때, 여전히 아름다운 꽃을 만들어 내는 것만을 꿈꾸었던 화초 재배자가 북미의 신시내티에 있었고, 너의 아름다운 동거인은, 'J. A. 피터슨'이라는 이름의 그 남자가 이 세상에 남긴 선물이다.

익숙해진 낡은 의자에 앉아, 너는 피터슨 부인을 바라본다. 그리고 그 화초 재배자와 같은 시대를 살았던, 또 한 명의 사람이 남긴 말을 떠올린다.

겨울에 피는 베고니아꽃처럼, 너의 마음속

에 매달려 있는 것 같은 그 사람의 말. 조지프 콘래드는 아무렇지도 않게 이런 말을 남겼다 —— 이 세상에 희망을 갖고 싶다면, 지금 세상이 바람직한 세상이라고 생각할 필요는 없다. 세상이 그렇게 되는 것이 불가능하지만은 않다고 믿을 수만 있다면, 그것으로 충분하지 않을까.

선물

어릴 때 생일 선물로 나무를 받았다. 여름귤나무 한 그루. 나무는 해마다 많은 열매를 맺었다. 씨가 많고 알맹이는 작았지만, 깨물면 사각사각, 상큼한 신맛이 났다. 멋진 나무는 아니었지만, 그것이 자신의 나무라고 생각하면, 신기하게도 벅찬 기분이 들었다. 잎이 무성한 여름귤나무를 보면, 마음이 돌아왔다.

그 여름귤나무는 이제 기억의 풍경 속에만 남아 있다. 그 시절에는 영혼이라는 것이 어디에 있고 어떤 색깔을 하고 있을까 생각했다.

지금은, 산도 강도 없는 마을에서 살며, 직사각형의 방에서 지낸다. 영혼 같은 건 생각하지 않게 되었다. 무엇이 옳은지는 생각하지 않고, 다만 잘못을 저지른다면, 자신의 잘못이길 바라는 마음이다. 방에는 한 그루 작은 귤나무 화분이 있다. 그것은, 생일날 나이를 세지 않게 된 뒤로, 네가 처음으로 자신에게 준 선물이다.

가끔 안톤 파블로비치의 짧은 이야기를 읽는다. 인생이란 과연 고뇌할 가치가 있는 걸까,

라고 했던 체호프. 중요한 건, 자신이 어떤 사람이냐가 아니라, 어떤 사람이 아니냐인 것이다. 서두르지 않을 것. 손을 써서 일할 것. 그리고 하루하루의 즐거움을, 한 그루 자신의 나무와 함께할 것.

작가 후기

말을 심호흡한다. 또는, 말로 심호흡한다. 그런 심호흡의 필요를 느꼈을 때, 멈춰서 가만히, 필요한 만큼의 말을 글로 썼다. 그런 심호흡을 위한 말이 이 책의 말 하나하나가 되었다.

책은 게시판. 말은 한 사람이 한 사람에게 전하는 말이다.

게시판 위의 말은, 한 사람이 한 사람에게 보내는 것이지만, 언제든 누구의 눈에든 보인다. 언제든 바람에 불려 날아가지만, 필요한 만큼 짤막하게 적은 말이고, 한 사람이 한 사람에게 남몰래 보내는 말이다. 그 전하는 말이 다정하게 가닿을 수 있다면 기쁠 것이다.

〈그때일지도 몰라〉와 〈큰 나무〉를 그래서 함께 엮고 싶다. 이 책이 나올 때까지 호의와 배려를 베풀어 주신 분들께, 또 아사미 이쿠코, 오타 유이치, 오구치 미치루, 가가야마 히로시, 쇼지 마키코, 스기모토 이즈미 님께 감사드린다.

1984년 2월

오사다 히로시

옮긴이 박성민

도쿄외국어대학교 대학원에서 일본어학을 전공하고 통번역사로 일했다. 지금은 알려지지 않은 좋은 글을 찾아 번역해 소개하고 있다. 번역서로는《다자이 오사무-내 마음의 문장들》,《나쓰메 소세키-인생의 이야기》,《꽃을 묻다》,《어떻게 사랑한다고 말해》,《고양이와 쇼조와 두 여자》,《해부학 교실에 오신 걸 환영합니다》,《카레라이스의 모험》,《먹는 인간》 등이 있다.

심호흡의 필요

2025년 1월 15일 1판 5쇄 찍음

지은이 오사다 히로시
옮긴이 박성민
편집인 송승현
펴낸곳 시와서 출판
발행인 송승현

ISBN | 979-11959922-7-0

출판등록 2016. 12. 6.
이메일 siwaseo@gmail.com
인스타그램 www.instagram.com/siwaseo
블로그 blog.naver.com/siwaseo